考前速记手册
初级会计实务

会计专业技术资格考试辅导教材研究院 编著

SPM 南方出版传媒 广东人民出版社
·广州·

目　录

第一章　会计概述

考点一　会计概念

会计的基本职能	核算、监督
会计的拓展职能	预测经济前景、参与经济决策、评价经营业绩
会计基本假设	会计主体、持续经营、会计分期、货币计量
会计基础	权责发生制、收付实现制
会计信息质量要求	可靠性、相关性、可比性、可理解性、谨慎性、实质重于形式、重要性、及时性
会计计量属性	历史成本、重置成本、可变现净值、现值、公允价值
会计要素	资产、负债、所有者权益、收入、费用、利润

考点二 会计等式

分类	等式
静态等式（财务状况等式）	资产＝负债+所有者权益
动态等式（经营成果等式）	收入−费用=利润
动静结合的等式	资产＝负债+所有者权益+利润 利润＝收入−费用 资产＝负债+所有者权益+（收入−费用） 费用+资产＝负债+所有者权益+收入

考点三 会计科目的分类

按反映的经济内容分类	资产类科目、负债类科目、共同类科目、所有者权益类科目、成本类科目、损益类科目
按提供信息的详细程度及其统驭关系不同	总分类科目、明细分类科目

考点四　借贷记账法下的试算平衡

试算平衡是指根据借贷记账法的记账规则和资产与权益的恒等关系，通过对所有账户的发生额和余额的汇总计算和比较，来检查记录是否正确的一种方法。

试算平衡的分类	试算平衡的记账规则
发生额试算平衡	全部账户本期借方发生额合计＝全部账户本期贷方发生额合计
余额试算平衡	全部账户借方期末（初）余额合计与全部账户贷方期末（初）余额合计保持平衡。（依据是财务状况等式）

考点五 会计凭证

会计凭证分为原始凭证、记账凭证。

一、原始凭证的种类

按照取得的来源不同	自制原始凭证、外来原始凭证
按照格式不同	通用凭证、专用凭证
按照填制手续和内容不同	一次凭证、累计凭证、汇总凭证

二、原始凭证的审核

真实性、合法性、合理性、完整性、正确性。

三、记账凭证的种类

可分为收款凭证、付款凭证、转账凭证。

考点六　会计账簿

一、会计账簿的种类

按用途分类	序时账簿、分类账簿、备查账簿
按账页格式分类	三栏式账簿、多栏式账簿、数量金额式账簿
按外形特征分类	订本式账簿、活页式账簿、卡片式账簿

总分类账户和明细分类账户的平行登记：方向相同、期间一致（不是时间相同）、金额相等。

二、对账

账证核对	账簿记录与会计凭证核对
账账核对	1. 总分类账簿之间的核对； 2. 总分类账簿与所属明细分类账簿核对； 3. 总分类账簿与序时账簿核对； 4. 明细分类账簿之间的核对。
账实核对	1. 库存现金日记账账面余额与库存现金实际库存数逐日核对是否相符； 2. 银行存款日记账账面余额与银行对账单的余额定期核对是否相符； 3. 各项财产物资明细账账面余额与财产物资的实有数额定期核对是否相符； 4. 有关债权债务明细账账面余额与对方单位的账面记录核对是否相符等。

三、错账更正方法

划线更正法	在结账前发现账簿记录有文字或数字错误,而记账凭证没有错误。
红字更正法	1. 记账后发现记账凭证中的应借、应贷会计科目有错误所引起的记账错误。 2. 记账后发现记账凭证和账簿记录中应借、应贷会计科目无误,只是错记的金额多于正确的金额,即发生数额多记了。
补充登记法	记账后发现记账凭证和账簿记录中应借、应贷会计科目无误,只是所记金额小于应记金额时,采用补充登记法。

考点七　财产清查

财产清查是为了核查账实是否相符。

按照财产清查的范围不同	全面清查、局部清查
按财产清查的时间不同	定期清查、不定期清查
按照清查的执行系统分类	内部清查、外部清查

考点八 财务报表

财务报表包括资产负债表、利润表、现金流量表、所有者权益变动表、附注（财务报表不可缺少的组成部分）。

第二章 资产

考点一 货币资金

货币资金包括库存现金、银行存款和其他货币资金。

一、现金的账务处理及清查

企业内部各部门周转使用的备用金，应在"其他应收款——备用金"科目核算，不得在"库存现金"科目核算。在现金清查中，有待查明原因的现金短缺或溢余，应先通过"待处理财产损溢"科目核算。

现金溢余	现金短缺
借：库存现金（实际溢余的金额） 　　贷：待处理财产损溢 按管理权限报经批准后 借：待处理财产损溢 　　贷：其他应付款(应支付给有关人员或单位的部分） 　　　营业外收入（无法查明原因的部分）	借：待处理财产损溢 　　贷：库存现金（实际短缺的金额） 按管理权限报经批准后 借：其他应收款（应由责任人赔偿或保险公司赔偿的部分） 　　管理费用（无法查明原因的部分） 　　贷：待处理财产损溢

二、银行存款

企业存放在银行或其他金融机构的货币资金。至少每月核对一次，如"企业银行存款账面余额"与"银行对账单"存在差异，应编制"银行存款余额调节表"。

银行存款余额调节表			
企业银行存款日记账余额		银行对账单余额	
加：银行已收，企业未收款		加：企业已收，银行未收	
减：银行已付，企业未付款		减：企业已付，银行未付	
调整后的存款余额		调整后的存款余额	

三、其他货币资金

其他货币资金主要包括银行汇票存款、银行本票存款、信用卡存款、信用证保证金存款、存出投资款、外埠存款等。

考点二 应收及预付款项

一、应收票据的账务处理

根据承兑人不同，商业汇票分为银行承兑汇票和商业承兑汇票。

应收票据的取得	（1）因债务人抵偿前欠货款而取得的应收票据。 借：应收票据 　　贷：应收账款 （2）因企业销售商品、提供劳务等而收到开出承兑的商业汇票。 借：应收票据 　　贷：主营业务收入 　　　　应交税费——应交增值税——销项税额

（续上表）

应收票据到期收回	借：银行存款 贷：应收票据
应收票据的转让	借：材料采购/原材料/库存商品 应交税费——应交增值税——进项税额 贷：应收票据 银行存款
商业汇票向银行贴现	借：银行存款（收到的金额） 财务费用（贴现利息） 贷：应收票据（票面价值）

二、应收账款的账务处理

　　企业因销售商品、提供劳务等经济活动，应向购货单位或接受劳务单位收取的款项，主要包括企业销售商品或提供劳务等应向有关债务人收取的价款、销项税额、代购货单位垫付的包装费、运杂费。

赊销	借：应收账款 　贷：主营业务收入 　　　应交税费——应交增值税——销项税额
收回应收账款、代垫费用	借：银行存款 　贷：应收账款
收到承兑的商业汇票	借：应收票据 　贷：应收账款

三、预付账款的账务处理

企业根据购货合同的规定向供应单位预付款项	借：预付账款 　　贷：银行存款
企业收到货物	借：材料采购/原材料/库存商品 　　应交税费——应交增值税——进项税额 　　贷：预付账款

四、应收股利的账务处理

企业应收取的现金股利和应收取的其他单位分配的利润。

金融资产类别	账务处理	
以公允价值计量且其变动计入当期损益的金融资产	企业在持有期间，被投资单位宣布发放现金股利	借：应收股利 　　贷：投资收益
长期股权投资	被投资方宣布分配现金股利或利润	采用成本法核算 借：应收股利 　　贷：投资收益
		采用权益法核算 借：应收股利 　　贷：长期股权投资—— 　　　　损益调整

五、应收利息的账务处理

应收利息是企业根据合同和协议规定应向债务人收取的利息。

企业在期末计提利息时：

借：应收利息（面值 × 票面利率）

　　贷：投资收益（摊余成本 × 实际利率）

六、其他应收款各种业务类型的账务处理

事项	账务处理
应收的各种赔款、罚款，如因企业财产等遭受意外损失而应向有关保险公司收取的赔款等（现金盘亏）	借：其他应收款 　　贷：待处理财产损溢
应向职工收取的各种垫付款项	借：其他应收款 　　贷：银行存款
应收的出租包装物租金	借：其他应收款 　　贷：其他业务收入
存出保证金——支付的押金	借：其他应收款 　　贷：银行存款

七、应收款项减值损失的确认

计提坏账准备的应收款项包括：应收账款、预付账款和其他应收款等。

应收账款的账面价值＝账面余额－计提的坏账准备

事项	账务处理
计提	借：资产减值损失——计提的坏账准备 　　贷：坏账准备
冲减多计提的坏账准备	借：坏账准备 　　贷：资产减值损失——计提的坏账准备
确实无法收回而转销	借：坏账准备 　　贷：应收账款等

（续上表）

事项	账务处理
已确认并转销的应收款项以后期间收回	借：应收账款等 　　贷：坏账准备 借：银行存款 　　贷：应收账款等

考点三 交易性金融资产

交易性金融资产主要是企业为了近期内出售而持有的金融资产，例如，企业以赚取差价为目的从二级市场购入的股票、债券、基金等。

一、交易性金融资产的取得

借：交易性金融资产——成本（公允价值）

       ——成本（取得时支付的价款中包含的已宣告但尚未领取的现金股利）

       ——成本（已到付息期尚未领取的债券利息）

  投资收益（取得时所发生的相关交易费用）

  应交税费——应交增值税——进项税额

贷：其他货币资金——存出投资款

二、持有交易性金额资产（公允价值计量）

（一）企业持有期间被投资单位宣告现金股利或在资产负债表日按分期付息、一次还本债券投资的票面利率计算的利息收入，账务处理：

借：应收股利/应收利息

　　贷：投资收益

收到现金股利或债券利息时：

借：其他货币资金

　　贷：应收股利/应收利息

（二）资产负债表日按照公允价值计量，公允价值与账面余额之间的差额计入当期损益。

1. 股价或债券价格上涨

借：交易性金融资产——公允价值变动

　　贷：公允价值变动损益

2. 股价或债券价格下跌

借：公允价值变动损益

　　贷：交易性金融资产——公允价值变动

三、出售交易性金融资产

（一）确认售价与前一次价格的差额记入"投资收益"。

借：其他货币资金等

　　贷：交易性金融资产——成本

　　　　　　　　　　——公允价值变动（或借方）

　　投资收益（卖价减买价的差额——影响损益的金额）

（二）如果月末转让金融商品，产生转让亏损。

借：投资收益（当年处置金融资产净损失的余额）

　　贷：应交税费——转让金融商品应交增值税

如果年度末，处置金融资产的亏损，还没有被弥补回来，不能将该金融资产的损失结转到下一年度。

考点四　存货成本的确定

发出存货的计价方法：个别计价法、先进先出法、月末一次加权平均法、移动加权平均法。

项目	内容	
计入存货成本	采购成本	价+税+费。
	加工成本	加工过程中发生的追加费用。
	其他成本	企业设计产品发生的设计费用通常应计入当期损益，但是为特定客户设计产品所发生的、可直接确定的设计费用应计入存货的成本。

（续上表）

项目	内容
不计入存货成本	1. 非正常消耗的直接材料、直接人工及制造费用。例如：自然灾害。 2. 入库后的清理挑选费。 3. 不能归属于存货的其他成本，如采购电话费、差旅费。

考点五 原材料的核算

一、采用实际成本核算

采用实际成本核算		账务处理
1. 购入原材料	发票与材料同时到	借：原材料 　　应交税费——应交增值税——进项税额 　贷：银行存款
	发票已到、材料未到	借：在途物资 　　应交税费——应交增值税——进项税额 　贷：银行存款
	材料已到、发票未到	借：原材料 　贷：应付账款——暂估应付账款

（续上表）

采用实际成本核算		账务处理
	预付款，材料未到	借：预付账款 　　贷：银行存款
2. 发出原材料		借：生产成本（生产产品领用） 　　制造费用（车间一般消耗） 　　管理费用（行政管理部门消耗） 　　销售费用（销售部门消耗） 　　贷：原材料

二、采用计划成本核算

采用计划成本核算	会计处理
采购	借：材料采购（购买时的实际成本） 　　应交税费——应交增值税——进项税额 　　贷：银行存款等
验收入库	借：原材料（计划成本——企业期初预算数据） 　　材料成本差异（倒挤数，可能在贷方） 　　贷：材料采购（购买时的实际成本）

（续上表）

采用计划成本核算	会计处理
结转发出材料计划成本	借：生产成本（生产车间领用） 　　制造费用（车间一般耗用） 　　管理费用（行政管理部门耗用） 　　销售费用（销售部门耗用） 　贷：原材料（计划成本——企业期初预算数据）
月末结转发出材料 应负担的差异	借：生产成本（生产车间领用） 　　制造费用（车间一般耗用） 　　管理费用（行政管理部门耗用） 　　销售费用（销售部门耗用） 　贷：材料成本差异（可能在借方，与采购时形成的成本 　　　差异方向相反）

考点六 包装物的核算

项目	具体核算
生产领用	借：生产成本 　　材料成本差异 　　贷：周转材料——包装物
随同商品出售而 不单独计价的包装物	借：销售费用 　　材料成本差异 　　贷：周转材料——包装物

（续上表）

项目	具体核算	
随同商品出售而单独计价的包装物	出售单独计价包装物 借：银行存款 　贷：其他业务收入 　　　应交税费——应交增值税——销项税额	结转所售单独计价包装物的成本 借：其他业务成本 　贷：周转材料——包装物 　　　材料成本差异

考点七 低值易耗品的核算

分次摊销	会计处理
领用时	借：周转材料——低值易耗品——在用 　　贷：周转材料——低值易耗品——在库
摊销时	借：制造费用 　　贷：周转材料——低值易耗品——摊销 借：周转材料—低值易耗品—摊销 　　贷：周转材料——低值易耗品——在用

考点八　存货清查

清查	审批前	审批后
盘盈	借：原材料 　　贷：待处理财产损溢	借：待处理财产损溢 　　贷：管理费用
盘亏	借：待处理财产损溢 　　贷：原材料 　　　　应交税费——应交增值税 　　　　　　——进项税额转出 自然灾害的亏损增值税进项税额不用转出，其他情况导致的亏损进项税必须转出。	借：原材料（残料） 　　其他应收款（过失方赔偿） 　　管理费用（管理不善） 　　营业外支出（自然灾害） 　　贷：待处理财产损溢

考点九 存货减值

资产负债表日，存货应当按照成本与可变现净值孰低计量。

可变现净值＝估计售价－至完工时估计发生的成本－估计的销售费用和相关税费

事项	账务处理
计提 （存货成本＞可变现净值）	借：资产减值损失——计提的存货跌价准备 　　贷：存货跌价准备
转回 （在原计提范围内）	借：存货跌价准备 　　贷：资产减值损失——计提的存货跌价准备
结转 （出售等）	借：存货跌价准备 　　贷：主营业务成本、其他业务成本等

考点十　固定资产

一、固定资产的初始确认

（一）外购固定资产

购入不需要安装的固定资产	购入需要安装的固定资产
借：固定资产 应交税费——应交增值税—— 进项税额 　　贷：银行存款	1. 购入时 借：在建工程 　　应交税费——应交增值税——进项税额 　　贷：银行存款
	2. 支付安装费用等时 借：在建工程 　　贷：银行存款

（续上表）

购入不需要安装的固定资产	购入需要安装的固定资产
	3. 安装完毕达到预定可使用状态时 借：固定资产 　　贷：在建工程

（二）建造固定资产

企业自行建造固定资产，应按建造该项资产达到预定可使用状态前所发生的必要支出，作为固定资产的成本。

自营工程	出包工程
购入工程物资 借：工程物资 　　　应交税费——应交增值税——进项税额 　　　应交税费——待抵扣进项税额 　　贷：银行存款	在这种方式下，"在建工程"科目主要是企业与建造承包商办理工程价款的结算科目。

二、固定资产的折旧

折旧方法	计算公式
年限平均法	年折旧额＝（原价－预计净残值）÷预计使用年限 ＝原价×（1－预计净残值率）÷预计使用年限
工作量法	工作量折旧额＝（原价－预计净残值）÷预计总工作量 ＝原价×（1－预计净残值率）÷预计总工作量
年数总和法	年折旧额＝（原价－预计净残值）×年折旧率 ＝原价×（1－预计净残值率）×年折旧率 年折旧率＝尚可使用年限÷年数总和×100%

（续上表）

折旧方法	计算公式
双倍余额递减法	年折旧额＝固定资产账面净额×年折旧率 ＝（原价－折旧）×年折旧率 年折旧率＝2÷预计使用年限×100%

账务处理：

借：在建工程（建造固定资产过程中使用）

其他业务成本（出租）

制造费用（生产车间使用的固定资产）

销售费用（销售部门使用的固定资产）

管理费用（管理部门使用的固定资产）

贷：累计折旧

三、固定资产后续支出的核算

费用化支出	借：管理费用（生产车间、行政管理部门、财务部门） 　　销售费用（销售部门） 　贷：银行存款等
资本化支出	1. 开始改造时：将固定资产停止折旧转入"在建工程" 借：在建工程 　　累计折旧 　　固定资产减值准备 　贷：固定资产

（续上表）

资本化支出	2. 更换坏损旧部件时（更换的旧部件要计算其账面价值）： 借：营业外支出（旧部件的账面价值） 　　贷：在建工程 3. 发生改造成本支出时： 借：在建工程 　　贷：原材料/应付职工薪酬/银行存款等 4. 达到预定可使用状态时： 借：固定资产 　　贷：在建工程

四、固定资产的处置

固定资产处置包括固定资产的出售、报废、毁损、对外投资、非货币性资产交换、债务重组等。处置固定资产应通过"固定资产清理"科目核算。

事项	账务处理
固定资产转入清理	借：固定资产清理 　　累计折旧（已累计计提的折旧） 　　固定资产减值准备 　贷：固定资产（原值）
发生清理费用	借：固定资产清理 　　贷：银行存款 借：银行存款 　　贷：应交税费——应交增值税销项税额

（续上表）

事项	账务处理
收到变价收入、残料入库或保险赔偿	借：银行存款（变价收入） 　　原材料（残料入库） 　　其他应收款（保险赔偿或个人赔偿） 　　贷：固定资产清理
结转处置净损益	借：营业外支出（处置净损失） 　　贷：固定资产清理 或者：借：固定资产清理 　　　　贷：营业外收入（清理净收益）

五、固定资产的清查

固定资产盘点	盘盈	盘亏
批准前	借：固定资产 　　贷：以前年度损益调整	借：待处理财产损溢 　　　固定资产减值准备 　　　累计折旧 　　贷：固定资产
批准后	借：以前年度损益调整 　　贷：盈余公积 　　　　未分配利润	借：其他应收款（可收回的保险 　　　赔偿或过失人赔偿） 　　　营业外支出——盘亏损失 　　贷：待处理财产损溢

六、固定资产的减值

固定资产在资产负债表日存在可能发生减值的迹象时，其可收回金额低于账面价值的，企业应当将该固定资产的账面价值减记至可收回金额，减记的金额确认为减值损失，计入当期损益，同时计提相应的资产减值准备。

固定资产减值会计处理

借：资产减值损失——计提的固定资产减值准备

　　贷：固定资产减值准备

固定资产减值损失一经确认，在以后会计期间不得转回。

考点十一　无形资产和长期待摊费用

事项	账务处理
无形资产的取得	外购的无形资产（买价+相关税费） 借：无形资产（买价+相关税费+直接归属于使该 　　　项资产达到预定用途所发生的其他支出） 　　应交税费——应交增值税——进项税额 　　贷：银行存款
	自行研发的无形资产 1. 企业自行开发无形资产发生研发支出（研究 阶段或开发阶段）：

（续上表）

事项	账务处理
无形资产的取得	借：研发支出——费用化支出（不满足资本化条件）——资本化支出（满足资本化条件） 贷：原材料 　　银行存款 　　应付职工薪酬 2. 期（月）末，不满足资本化条件的支出： 借：管理费用 　　贷：研发支出——费用化支出 3. 满足资本化条件的研究开发项目达到预定用途形成无形资产的： 借：无形资产 　　贷：研发支出——资本化支出

（续上表）

事项	账务处理
对无形资产进行摊销 （不是所有的无形资产 期末都摊销）	借：管理费用（管理用） 　　其他业务成本（出租） 　　制造费用（用于生产产品） 　　销售费用（销售部门使用的） 　贷：累计摊销
处置无形资产	借：银行存款 　　无形资产减值准备 　　累计摊销 　　营业外支出——非流动资产处置损失 　贷：无形资产 　　　应交税费——应交增值税——销项税额 　　　营业外收入——非流动资产处置利得

（续上表）

事项	账务处理
无形资产的减值	借：资产减值损失 　　贷：无形资产减值准备 无形资产减值损失一经确认，在以后会计期间不得转回

考点十二　长期待摊费用

　　长期待摊费用是指企业已经发生但应由本期和以后各期负担的分摊期限在一年以上的各项费用，如以经营租赁方式租入的固定资产发生的改良支出等。

　　发生支出时：

　　借：长期待摊费用

　　　　贷：原材料

　　　　　　银行存款等

第三章　负债

考点一　短期借款的核算

事项	账务处理
1. 借入短期借款	借：银行存款 　　贷：短期借款
2. 计提利息	借：财务费用 　　贷：应付利息
3. 归还本息	借：短期借款/应付利息（财务费用） 　　贷：银行存款

考点二 应付及预收款项

事项	账务处理
附有现金折扣条件的应付账款偿还时	借: 应付账款 贷: 银行存款（实际偿还的金额） 财务费用（享有的现金折扣）
商业承兑汇票到期无力偿还票款时	借: 应付票据 贷: 应付账款
银行承兑汇票到期无力偿还票款时	借: 应付票据 贷: 短期借款
企业预收账款业务不多的，可以不单独设置"预收账款"科目，直接将预收的款项计入"应收账款"科目的贷方。	

考点三 应付职工薪酬的核算

职工薪酬主要包括短期薪酬、离职后福利、辞退福利、其他长期职工福利。

货币性职工薪酬项目	账务处理
工资、奖金、津贴和补贴	1. 按受益对象分别计入 借：生产成本（生产工人） 　　制造费用（车间管理人员） 　　劳务成本（提供劳务人员） 　　管理费用（行政人员） 　　销售费用（专设销售机构人员） 　　在建工程（在建工程人员） 　　研发支出（研发人员） 　　贷：应付职工薪酬

（续上表）

货币性职工薪酬项目	账务处理
职工福利费	2. 通过银行实际发放或发放现金： 借：应付职工薪酬 　　贷：银行存款/库存现金 3. 代扣款项 借：应付职工薪酬 　　贷：其他应收款
国家规定计提标准的职工薪酬	
短期带薪缺勤	

（续上表）

非货币性职工薪酬	账务处理
自产产品发放给职工（三步法分录）：按照该产品的公允价值+增值税销项税额计入相关资产成本或当期损益	借：生产成本、管理费用等 　　贷：应付职工薪酬——非货币性福利（含税公允价） 借：应付职工薪酬——非货币性福利 　　贷：主营业务收入（公允价值） 　　　　应交税费——应交增值税——销项税额 借：主营业务成本 　　存货跌价准备 　　贷：库存商品

（续上表）

非货币性职工薪酬	账务处理
自有房屋等资产无偿提供给职工使用（两步法分录）：将住房每期应计提的折旧计入相关资产成本或当期损益	借：生产成本、管理费用等 　　贷：应付职工薪酬——非货币性福利 借：应付职工薪酬——非货币性福利 　　贷：累计折旧
租赁住房等资产供职工无偿使用（两步法分录）：将每期应付的租金计入相关资产成本或当期损益	借：生产成本、管理费用等 　　贷：应付职工薪酬——非货币性福利 借：应付职工薪酬——非货币性福利 　　贷：银行存款

考点四　一般纳税人增值税的核算

当期应纳税额＝当期销项税额－当期进项税额

销项税额＝销售额×增值税税率

简易计税方法：应纳税额＝销售额×征收率

一、进项税额的核算

事项	账务处理
购进货物、接受加工修理修配劳务或者服务、取得无形资产或者不动产	借：在途物资/原材料/库存商品/生产成本/无形资产/固定资产/管理费用等 　　应交税费——应交增值税——进项税额 　贷：应付账款/应付票据/银行存款等

（续上表）

事项	账务处理
购进不动产或不动产在建工程的进项税额的分年抵扣	借：固定资产/在建工程等 　　应交税费——应交增值税——进项税额（当期可抵扣60%） 　　　　　　　　　——待抵扣进项税额（抵扣当期后第13个月可抵扣40%） 　贷：应付账款/应付票据/银行存款等
尚未抵扣的进项税额以后期间允许抵扣	借：应交税费——应交增值税——进项税额 　贷：应交税费——待抵扣进项税额

（续上表）

事项	账务处理
货物已验收入库，但尚未取得增值税凭证	月末暂估入账 借：原材料 　　贷：应付账款 下月初，红字冲销原暂估金额
进项税额转出	借：待处理财产损溢/应付职工薪酬等 　　贷：应交税费——应交增值税——进项税额转出

二、销项税额核算

企业销售货物，委托加工修理修配劳务，销售服务、无形资产或不动产	借：应收账款/应收票据/银行存款等 　　贷：主营业务收入/其他业务收入/固定资产清理 　　　　应交税费——应交增值税——销项税额
视同销售	1. 企业将自产或委托加工的货物用于集体福利或个人消费 借：应付职工薪酬（含税价） 　　贷：主营业务收入 　　　　应交税费——应交增值税——销项税额 同时： 借：主营业务成本 　　贷：库存商品 同时：

（续上表）

视同销售	借：管理费用/销售费用/生产成本等 　　贷：应付职工薪酬（含税价） 2. 将自产、委托加工或购买的货物用于非应税项目 借：在建工程（非应税项目） 　　贷：库存商品（成本价） 　　　　应交税费——应交增值税——销项税额 3. 将自产、委托加工或购买的货物用于投资、分配给股东或投资者 借：长期股权投资（含税价） 　　应付股利（含税价） 　　贷：主营业务收入 　　　　应交税费——应交增值税——销项税额

（续上表）

	同时： 借：主营业务成本 　　贷：库存商品 4. 将自产、委托加工或购买的货物用于无偿赠送他人 借：营业外支出 　　贷：库存商品（成本价） 　　　　应交税费——应交增值税——销项税额
交纳增值税	1. 交纳当月的增值税 借：应交税费——应交增值税——已交税金 　　贷：银行存款 2. 交纳以前期间未交的增值税 借：应交税费——未交增值税 　　贷：银行存款

（续上表）

月末转出多交增值税和未交增值税	1. 当月应交未交的增值税 借：应交税费——应交增值税——转出未交增值税 　　贷：应交税费——未交增值税 2. 当月多交的增值税 借：应交税费——未交增值税 　　贷：应交税费——应交增值税——转出多交增值税

考点五　小规模纳税人增值税的核算

小规模纳税人核算增值税采用简化的方法，即购进货物、接受应税劳务和应税行为支付的增值税，一律不予抵扣，直接计入有关货物或劳务的成本。

不含税销售额=含税销售额÷（1+征收率）

应纳税额=不含税销售额×征收率

考点六 差额征税的账务处理（2018年新增内容）

事项		账务处理
企业按规定相关成本费用允许扣减销售额	发生成本费用	借：主营业务成本/工程施工 　　贷：应付账款/银行存款
	取得合规增值税扣税凭证且纳税义务发生时，按照允许抵扣的税额	借：应交税费——应交增值税——销项税额抵减 　　应交税费——简易计税 　　应交税费——应交增值税（小规模纳税人） 　　贷：主营业务成本/工程施工

（续上表）

事项		账务处理
企业转让金融商品按规定以盈亏相抵后的余额作为销售额	实际转让金融商品	发生收益 借：投资收益 　　贷：应交税费——转让金融商品应交增值税 发生损失，可结转下月抵扣税额 借：应交税费——转让金融商品应交增值税 　　贷：投资收益

考点七 增值税税控专用设备、技术维护费抵减增值税额的账务处理

事项	账务处理
初次购入增值税税控系统专用设备	借：固定资产/管理费用（实务中多数费用化） 　　贷：银行存款/应付账款（几乎不可能） 按规定抵减的增值税应纳税额 借：应交税费——应交增值税——减免税款 　　应交税费——应交增值税（小规模纳税人） 　　贷：管理费用

（续上表）

事项	账务处理
后期企业发生增值税税控系统专用设备技术维护费	借：管理费用 　　贷：银行存款 按规定抵减的增值税应纳税额 借：应交税费——应交增值税——减免税款 　　应交税费——应交增值税（小规模纳税人） 　　贷：管理费用

考点八 应交消费税的核算

应税行为	账务处理
销售应税消费品	借：税金及附加 　　贷：应交税费——应交消费税
自产自用应税消费品	借：在建工程等 　　贷：应交税费——应交消费税
委托加工应税消费品	（1）直接销售：计入委托加工物资成本 借：委托加工物资 　　贷：应交税费——应交消费税

（续上表）

应税行为	账务处理
	（2）继续加工应税消费品：计入"应交税费——应交消费税"科目的借方 借：应交税费——应交消费税 　　贷：应付账款
进口应税消费品	企业进口应税物资在进口环节应交的消费税，计入该项物资的成本。 借：材料采购/固定资产 　　贷：银行存款

考点九 其他应交税费的核算

其他税种	账务处理
应交资源税	1. 对外销售矿产品应交纳的资源税分录： 借：税金及附加 　　贷：应交税费——应交资源税 2. 自产自用应税矿产品，应交纳的资源税时： 借：生产成本 　　制造费用 　　贷：应交税费——应交资源税
应交城市维护建设税、应交教育费附加	1. 计提教育费附加、城市维护建设税： 借：税金及附加 　　贷：应交税费——应交教育费附加

（续上表）

其他税种	账务处理
	——应交城市维护建设税 2．交纳教育费附加、城市维护建设税： 借：应交税费——应交教育费附加 　　　　　　——应交城市维护建设税 　　贷：银行存款
应交土地增值税	1．土地使用权连同地上建筑物及其附着物，一并在"固定资产"科目核算的企业处置时： 借：固定资产清理 　　贷：应交税费——应交土地增值税

（续上表）

其他税种	账务处理
应交土地增值税	2．土地增值税在"无形资产"科目核算的企业处置资产时： 借：银行存款 　累计摊销 　无形资产减值准备 　贷：无形资产 　　营业外收入（或营业外支出在借方） 　　应交税费——应交土地增值税

（续上表）

其他税种	账务处理
应交房产税、城镇土地使用税、车船税、矿产资源补偿费	1. 计提税费： 借：税金及附加 　　贷：应交税费——应交房产税 　　　　　　　　——应交城镇土地使用税 　　　　　　　　——应交车船税 　　　　　　　　——应交矿产资源补偿费 2. 实际缴纳税款： 借：应交税费——应交房产税 　　　　　　——应交城镇土地使用税 　　　　　　——应交车船税

（续上表）

其他税种	账务处理
	——应交矿产资源补偿费 贷：银行存款
个人所得税	1. 企业实发工资时，代扣代缴个人所得税 借：应付职工薪酬——工资、奖金、津贴和补贴 　　贷：应交税费——应交个人所得税 2. 实际缴纳税款 借：应交税费——应交个人所得税 　　贷：银行存款

第四章 所有者权益

考点一 实收资本的账务处理

事项		账务处理
接受现金资产的投资	股份有限公司以外的企业接受现金资产投资	借：银行存款等 　　贷：实收资本 　　　　资本公积——资本溢价（差额）
	股份有限公司接受现金资产投资	借：银行存款等 　　贷：股本（按每股股票面值和发行股份总额的乘积计算的金额） 　　　　资本公积——股本溢价（差额）

（续上表）

事项		账务处理
接受非现金资产的投资	接受投入固定资产	借：固定资产（公允价值——投资合同或协议约定的价值，不公允的除外） 应交税费——应交增值税——进项税额 贷：实收资本（或者股本) 　　资本公积——资本溢价（或者股本溢价）（差额）
	接受投入材料物资	借：原材料等(公允价值——投资合同或协议约定的价值，不公允的除外） 应交税费——应交增值税——进项税额 贷：实收资本（或股本） 　　资本公积——资本溢价（或者股本溢价）（差额）

（续上表）

事项		账务处理
	接受投入无形资产	借：无形资产（公允价值——投资合同或协议约定的价值，不公允的除外） 　　应交税费——应交增值税——进项税额 　　贷：实收资本(或股本) 　　　　资本公积——资本溢价（或股本溢价）（差额）

考点二　实收资本的增减变动

一、实收资本（或股本）的增加

事项	账务处理
资本公积转增资本	借：资本公积 　　贷：实收资本（或股本）
盈余公积转增资本	借：盈余公积 　　贷：实收资本（或股本）
实际发放股票股利的处理 （股份有限公司）	借：利润分配——转作股本的股利 　　贷：股本

二、实收资本减少的途径

回购股票、批准减资（非股份制企业）。

企业减少实收资本应按法定程序报经批准，股份有限公司采用收购本公司股票方式减资。

事项	账务处理	
回购时	借：库存股（每股市场回购价格×注销股数） 　　贷：银行存款	
注销时	购回股票支付的价款高于面值总额	借：股本（每股面值×注销股数） 　　资本公积——股本溢价 　　盈余公积（资本公积不够冲时） 　　利润分配——未分配利润 　　贷：库存股（每股回购价格×注销股数）

（续上表）

事项	账务处理	
购回股票支付的价款低于面值总额	借：股本（每股面值×注销股数） 　贷：库存股（每股回购价格×注销股数） 　　　资本公积——股本溢价（差额）	

考点三　资本公积

事项	账务处理
资本溢价	企业收到投资者超过其在企业注册资本或股本中所占份额的投资（实收资本的时间溢价）
股本溢价	借：银行存款 　　贷：股本 　　　　资本公积——股本溢价（差额）

考点四 其他资本公积

因被投资单位除净损益，其他综合收益和利润分配以外所有者权益的其他变动。

账务处理：

借：长期股权投资

贷：资本公积——其他资本公积（或作相反的分录）

考点五　资本公积转增资本

经股东大会或类似机构决议，用资本公积转增资本时：

借：资本公积

贷：实收资本/股本

考点六　留存收益

期末可分配利润=当期净利润（或净亏损）+期末未分配利润（或-未弥补亏损）+其他转入

考点七　利润分配

年度终了，首先将损益类科目的余额都转入"本年利润"科目，然后将"本年利润"科目余额都转入"利润分配未分配利润"科目。

事项	账务处理
利润分配为贷方余额时 （盈利）	通常要将企业实现的利润进行分配。 借：利润分配——提取法定盈余公积 　　　　　——提取任意盈余公积 　　　　　——应付现金股利 　　贷：盈余公积——法定盈余公积 　　　　盈余公积——任意盈余公积 　　　　　——应付股利

（续上表）

事项	账务处理
分配结束后将利润分配其他各明细科目余额转入"利润分配——未分配利润"科目	借：利润分配——未分配利润 　贷：利润分配——提取法定盈余公积 　　　　　　——提取任意盈余公积 　　　　　　——应付现金股利
利润分配为借方余额（亏损）	企业不做任何的分配，等待用后期五年内的利润予以弥补

考点八　盈余公积

一、按照《公司法》有关规定，公司制企业应按照净利润（减弥补以前年度亏损，下同）的10%提取法定盈余公积。

二、非公司制企业法定盈余公积的提取比例可超过净利润的10%，法定盈余公积累计额已达注册资本的50%时可以不再提取。

三、企业提取的盈余公积经批准可用于弥补亏损、转增资本、发放现金股利或利润等。

事项	账务处理
提取盈余公积	借：利润分配——提取法定盈余公积 　　　　　　——提取任意盈余公积 贷：盈余公积——法定盈余公积 　　　　　　——任意盈余公积
盈余公积补亏	借：盈余公积 贷：利润分配——盈余公积补亏
盈余公积转增资本	借：盈余公积 贷：股本/实收资本
用盈余公积宣告发放 现金股利或利润	借：盈余公积 贷：应付股利

第五章 收入、费用和利润

考点一 销售商品收入

一、符合销售商品收入确认条件

借：银行存款/应收账款等

　　贷：主营业务收入

　　　　应交税费——应交增值税——销项税额

借：主营业务成本

　　存货跌价准备

　　贷：库存商品

二、已经发出商品但不符合销售商品收入确认条件

发出商品：

借：发出商品

　　贷：库存商品

借：应收账款等

　　贷：应交税费——应交增值税——销项税额

借：主营业务成本

　　存货跌价准备

　　贷：发出商品

考点二　折扣折让方式

类型	会计处理
商业折扣	不涉及专门会计分录，直接按扣除商业折扣后的金额确认收入
现金折扣	不得从销售额中减除现金折扣额。 实际发生时： 借：银行存款 　　财务费用 　　贷：应收账款

（续上表）

类型	会计处理	
销售折让	实际发生时： 借：主营业务收入 　　应交税费——应交增值税——销项税额 　贷：应收账款等	
销售退回	未确认收入的 已发出商品退回	借：库存商品 　贷：发出商品 借：应交税费——应交增值税——销项税额 　贷：银行存款等

（续上表）

类型	会计处理	
销售退回	已确认收入的销售商品退回	借：主营业务收入 　　应交税费——应交增值税——销项税额 　　贷：银行存款 冲减当期销售成本 借：库存商品 　　贷：主营业务成本

考点三 提供劳务收入的账务处理

在同一会计期间内开始并完成的劳务	在不同会计期间开始和完成的劳务
1. 发生劳务相关支出 借：劳务成本 　　贷：银行存款等 2. 确认劳务收入并结转劳务总成本 借：银行存款 　　贷：主营业务收入 　　　　应交税费——应交增值税——销项税额 借：主营业务成本 　　贷：劳务成本	1. 提供劳务交易结果能够可靠估计： 应采用完工百分比法确认提供劳务收入 2. 提供劳务交易结果不能可靠估计： （1）已经发生的劳务成本预计全部能够得到补偿的，应按已收或预计能够收回的金额确认提供劳务收入，并结转已经发生的劳务成本。 （2）已经发生的劳务成本预计部分能够得到补偿的，应按能够得到部分补偿的劳务成本金额确认提供劳务收入，并结转已经发生的劳务成本。

（续上表）

在同一会计期间内开始并完成的劳务	在不同会计期间开始和完成的劳务
	（3）已经发生的劳务成本预计全部不能得到补偿的，应将已经发生的劳务成本计入当期损益（主营业务成本或其他业务成本），不确认提供劳务收入。

考点四　让渡资产使用权的收入

事项	处理方法
企业确认让渡资产使用权的使用费收入	借：银行存款 　　应收账款等 　贷：其他业务收入
企业对所让渡资产计提摊销	借：其他业务成本 　贷：累计摊销等

（续上表）

事项	处理方法
合同或协议规定一次性收取使用费且不提供后续服务的	应当视同销售该项资产一次性确认收入；提供后续服务的，应在合同或协议规定的有效期内分期确认收入
合同或协议规定分期收取使用费的	通常应按合同或协议规定的收款时间和金额或规定的收费方法计算确定的金额分期确认收入

考点五　营业成本

主营业务成本的核算	其他业务成本的核算
企业销售商品、提供劳务等经常性活动所发生的成本	销售材料的成本、出租固定资产的折旧额、出租无形资产的摊销额、出租包装物的成本或摊销额等
借：主营业务成本 　　存货跌价准备 　　贷：库存商品 借：本年利润 　　贷：主营业务成本 结转后该科目无余额。	借：其他业务成本 　　贷：原材料 　　　　周转材料 　　　　累计折旧（累计摊销） 　　　　银行存款等 借：本年利润 　　贷：其他业务成本 结转后该科目无余额。

考点六 税金及附加的会计处理

借：税金及附加

贷：应交税费——应交消费税

　　　　　　——应交城市维护建设税

　　　　　　——应交教育费附加

　　　　　　——应交资源税

　　　　　　——应交房产税

　　　　　　——应交城镇土地使用税

　　　　　　——应交车船税

　　　　　　——应交印花税等。

考点七　利润的构成

利润包括收入减去费用后的净额、直接计入当期利润的利得和损失两部分内容。

营业利润	营业利润=营业收入−营业成本−税金及附加−销售费用−管理费用−财务费用−资产减值损失＋公允价值变动收益（−公允价值变动损失）＋投资收益（−投资损失）＋其他收益
利润总额	利润总额=营业利润＋营业外收入−营业外支出
净利润	净利润=利润总额−所得税费用

考点八 营业外收支

科目	营业外收入	营业外支出
核算内容	与日常活动无直接关系的各项利得： 1. 非流动资产处置利得 2. 盘盈（现金）利得 3. 捐赠利得 4. 非货币性资产交换利得 5. 债务重组利得 6. 确实无法支付的应付账款	与日常活动无直接关系的各项损失： 1. 非流动资产处置损失 2. 盘亏（固定资产）损失 3. 公益性捐赠支出 4. 非货币性资产交换损失 5. 债务重组损失 6. 非常损失
账务处理	1. 盘盈现金： 借：库存现金 　　贷：待处理财产损溢	1. 企业确认处置非流动资产损失： 借：营业外支出 　　贷：固定资产清理

（续上表）

科目	营业外收入	营业外支出
账务处理	未找到原因的情况下： 借：待处理财产损溢 　　贷：营业外收入 2. 收到捐赠利得： （1）收到捐赠钱财： 借：库存现金 　　贷：营业外收入 （2）收到捐赠原材料： 借：原材料 　　应交税费——应交增值税——进项税额	无形资产等 2. 确认盘亏、罚款支出： 借：营业外支出 　　贷：待处理财产损溢 　　　　库存现金 3. 结转营业外支出：期末 借：本年利润 　　贷：营业外支出

（续上表）

科目	营业外收入	营业外支出
	贷：营业外收入 3. 公益性捐赠支出： 借：营业外支出 　　贷：库存商品 　　　　应交税费——应交增值税 　　　　——销项税额 4. 固定资产清理： 借：固定资产清理 　　贷：营业外收入——非流动资产 　　　　处置利得	

考点九　应交所得税的计算

应交所得税＝应纳税所得额 × 所得税税率

应纳税所得额＝税前会计利润+纳税调整增加额–纳税调整减少额

考点十 所得税费用的账务处理

所得税费用＝当期所得税+递延所得税

一、所得税费用相关分录（税法与企业存在未来可抵扣的暂时性差异）：

借：所得税费用

　　递延所得税资产

　　　贷：应交税费——应交所得税（当期所得税）

二、所得税费用相关分录（税法与企业存在未来应纳税的暂时性差异）：

借：所得税费用

　　　贷：应交税费——应交所得税（当期所得税）

　　　　　递延所得税负债

【学堂点睛】递延所得税资产和递延所得税负债的发生额可能在借方。

考点十一 结转本年利润的处理

一、会计期末，结转本年利润的方法有表结法和账结法两种。

二、年度终了，结转"本年利润"科目：

借：本年利润

　　贷：利润分配——未分配利润

或作相反的会计分录。

结转后"本年利润"科目应无余额。（损益类科目月末无余额）

第六章　财务报表

一套完整的财务报表至少应当包括资产负债表、利润表、现金流量表、所有者权益（或股东权益）变动表以及附注。

考点一　资产负债表的编制

编制依据是会计恒等式：资产＝负债＋所有者权益

我国企业资产负债表各项目"期末余额"栏数据主要通过以下几种方法：
一、根据单一或多个总账科目余额填列
二、根据明细科目余额计算填列

（续上表）

三、根据总账科目和明细账科目余额分析计算填列
四、根据有关科目余额减去其备抵科目余额后的净额填列
五、综合运用上述填列方法分析填列

考点二　利润表的编制

项目	填列方法
一、营业收入	＝主营业务收入＋其他业务收入
减：营业成本	＝主营业务成本＋其他业务成本
税金及附加	＝税金及附加
销售费用	＝销售费用
管理费用	＝管理费用
财务费用	＝财务费用（收益以"–"号填列）
资产减值损失	＝资产减值损失
加：公允价值变动收益	＝公允价值变动收益（损失以"–"号填列）

（续上表）

项目	填列方法
投资收益	＝投资收益（损失以"－"号填列）
二、营业利润	计算确定（亏损以"－"号填列）
加：营业外收入	＝营业外收入
减：营业外支出	＝营业外支出
三、利润总额	计算确定（亏损以"－"号填列）
减：所得税费用	＝所得税费用
四、净利润	计算确定（净亏损以"－"号填列）

（续上表）

项目	填列方法
五、其他综合收益的税后净额	略
六、综合收益总额	＝四+五
七、每股收益	略
（一）基本每股收益	——
（二）稀释每股收益	——

考点三 现金流量表

企业现金流量可分为：经营活动产生的现金流量、投资活动产生的现金流量、筹资活动产生的现金流量。

考点四　所有者权益变动表

一、综合收益总额

二、会计政策变更和差错更正的累积影响金额

三、所有者投入资本和向所有者分配利润等

四、提取的盈余公积

五、实收资本或资本公积、其他综合收益、盈余公积、未分配利润的期初和期末余额及其调节情况

考点五　附注

对资产负债表、利润表、现金流量表和所有者权益变动表中未列示项目的详细说明或明细说明。

第七章　管理会计基础

考点一　管理会计指引体系

概念	内容
管理会计 指引体系	基本指引、应用指引、案例库
管理会计 应用原则	战略导向原则、融合性原则、适应性原则、成本效益原则

（续上表）

概念	内容		
管理会计四大要素	应用环境、管理会计活动、工具方法、信息与报告事项管理		
管理会计应用环境	外部环境		国内外经济、社会、文化、法律、技术等
	内部环境		价值创造模式、组织机构、管理模式、资源、信息系统等

考点二 管理会计工具方法

应用领域	工具方法
战略管理	战略地图价值链管理（不局限一种）
预算管理	全面预算管理、滚动预算管理、作业预算管理、零基预算管理、弹性预算管理等
成本管理	目标成本管理、标准成本管理、变动成本管理、作业成本管理、生命周期成本管理等
营运管理	本量利分析、敏感性分析、边际分析、标杆管理等

（续上表）

应用领域	工具方法
投融资管理	贴现现金流法、项目管理、资本成本分析等
绩效管理	关键指标法、经济增加值、平衡计分卡等
风险管理	单位风险管理框架、风险矩阵模型等

考点三 信息与报告

管理会计信息是管理会计报告的基本元素。

按期间划分	定期报告和不定期报告
按内容划分	综合性报告和专项报告

考点四　终值与现值的计算

概念	计算公式
复利终值	$F=P\times(1+i)^n$ 其中，$(1+i)^n$称为复利终值系数，用符号（F/P，i，n）表示
复利现值	$P=F\times1/(1+i)^n$ 其中$1/(1+i)^n$称为复利现值系数，用符号（P/F，i，n）表示
普通年金终值	$F=A+A(1+i)+A(1+i)^2+A(1+i)^3+\cdots+A(1+i)n-1$ $F=A\times[(1+i)^n-1]/i$ 式中$[(1+i)^n-1]/i$称为"年金终值系数"，记作（F/A，i，n）
预付年金终值	$F=A\times(F/A，i，n)\times(1+i)$ 或者$F=A（F/A，i，n+1）-A=A[（F/A，i，n+1）-1]$

（续上表）

概念	计算公式
普通年金现值	$P=A(1+i)^{-1}+A(1+i)^{-2}+A(1+i)^{-3}+\cdots+A(1+i)^{-n}$ $=A \times [1-(1+i)^{-n}]/i$ 式中，$[1-(1+i)^{-n}]/i$称为"年金现值系数"，记作（P/A，i,n)
预付年金现值	$P=A（P/A，i，n-1）+A=A[（P/A，i，n-1）+1]$ $P=A \times（P/A，i，n）\times（1+i）$ 预付年金现值系数与普通年金现值系数的关系：系数加1，期数减1
递延年金现值	递延年金的终值计算与普通年金的终值计算一样
永续年金现值	$P（n \to \infty）=A/i$
年偿债基金	$A=F \times i/[（1+i）^{n}-1]$
年资本回收额	$A=P \times i/[1-（1+i）^{-n}]$

考点五　名义利率与实际利率

名义利率与实际利率的换算关系:$i = (1+r/m)^m - 1$

式中，i为实际利率，r为名义利率，m为每年复利计息次数。

考点六　产品成本项目

产品成本项目	直接材料
	燃料及动力
	直接人工
	制造费用
	废品损失、直接燃料和动力（企业可根据具体情况，增设该成本项目）

考点七 要素费用的归集和分配

一、材料、燃料、动力的归集和分配

分配率=材料、燃料、动力消耗总额÷分配标准（如产品重量、耗用的原材料、生产工时等）

某种产品应负担的材料、燃料、动力费用=该产品的重量、耗用的原材料、生产工时等×分配率

二、职工薪酬的归集和分配

分配率=各种产品生产工资总额÷各种产品生产工时（或产量、产值比例）之和

某种产品应分配的生产工资=该种产品生产工时×生产工资费用分配率

如果取得各种产品的实际生产工时数据比较困难，而各种产品的单件工时定额比较准确，也可按产品的定额工时比例分配职工薪酬，相应的计算公式如下（考点）：

某种产品耗用的定额工时＝该种产品投产量×单位产品工时定额

生产职工薪酬费用分配率＝各种产品生产工资总额÷各种产品定额工时之和

某种产品应分配的生产工资＝该种产品定额工时×生产职工薪酬费用分配率

账务处理：

借：基本生产成本

　　辅助生产成本

　　制造费用

　　管理费用

　　销售费用

贷：应付职工薪酬

三、辅助生产费用的归集和分配

直接分配法、交互分配法、计划成本分配法、顺序分配法。

四、制造费用的归集和分配

制造费用分配率＝制造费用总额÷各产品分配标准之和

某种产品应分配的制造费用＝该产品分配标准×制造费用分配率

分配标准包括：产品生产工时、生产工人定额工时、生产工人工资、机器工时、产品计划产量定额工时。

五、废品损失和停工损失的核算

废品损失的核算	不可修复废品损失、可修复废品损失
停工损失的核算	正常停工、非正常停工

考点八 生产费用在完工产品和在产品之间的归集和分配

一、在产品数量的核算

企业在产品是指没有完成全部过程，不能作为商品销售的产品，包括正在车间加工中的产品和已经完成了一个或几个生产步骤但还需继续加工的半成品两部分。

二、生产费用在完工产品和在产品之间的分配

成本分配方法的关键点就是核算在产品的数量。

本月完工产品成本＝本月发生生产成本＋月初在产品成本－月末在产品成本
1. 不计算在产品成本法 2. 在产品按固定成本计价法

（续上表）

> 3. 在产品按所耗直接材料成本计价法
> 4. 约当产量比例法（重点）
> 5. 在产品按定额成本计价法
> 6. 定额比例法（规定消耗的范围）
> 7. 在产品按完工产品成本计价法

三、联产品和副产品

联产品，是指使用同种原料，经过同一生产过程同时生产出来的两种或两种以上的主要产品。特点是：在生产开始时，各产品尚未分离，同一加工过程中对联产品的联合加工。当生产过程进行到一定生产步骤，产品才会分离。在分离点以前发生的生产成本，称为联合成本。

副产品，是指在同一生产过程中，使用同种原料，在生产主产品的同时附带生产出来的非主要产品。

四、完工产品成本的结转

企业完工产品经产成品仓验收入库后，其成本应从"生产成本——基本生产成本"科目及所属产品成本明细帐的贷方转出，转入"库存商品"科目的借方，"生产成本——基本生产成本"科目的月末余额，就是基本生产在产品的成本。

分录如下：

借：生产成本——基本生产成本

　　贷：库存商品

考点九 产品成本计算概述

产品成本计算方法	成本计算对象	生产组织特点	生产工艺特点	成本管理
品种法	产品品种	大量大批	单步骤、多步骤	不要求分步
分批法	产品批别	单件小批	单步骤、多步骤	不要求分步
分步法	生产步骤	大量大批	多步骤	要求分步

考点十　产品成本计算的品种法

　　品种法，是指以产品品种作为成本核算对象，归集和分配生产成本的一种方法。品种法计算成本的主要特点：1.成本计算对象是产品品种；2.一般定期（每月月末）计算产品成本；3.如果月末有在产品，要将生产费用在完工产品和在产品之间进行分配。

考点十一　产品成本计算的分批法

概念：分批法是指以产品的批别作为产品成本核算对象，归集和分配生产成本，计算产品成本的一种方法。

例如：造船、重型机器制造、精密仪器制造、新产品试制和试验的生产、在建工程以及设备修理等。

分批法的主要特点有：1.成本计算对象是产品的批别；2.成本计算是订单生产模式，产品成本核算是按照生产任务通知单的签发开始的，订单生产结束后统一做产品成本核算。所以产品成本核算不是每期都结转的；3.完工产品与在产品成本划分：一般情况下，订单式生产模式不存在完工产品与在产品之间分配费用的问题。

考点十二　产品成本核算的分步法

分步法是指按照生产过程中各个加工步骤为成本核算对象，归集和分配生产成本，计算各步骤半成品和最后产成品成本的一种方法。例如：冶金、纺织、机器制造等企业。分步法的特点是：1.成本核算对象是各种产品的生产步骤；2.月末为计算完工产品成本，还需要将归集在生产成本明细账中的生产成本在完工产品和在产品之间进行分配；3.成本计算期是固定的，与产品的生产周期不一致。

	优点：
逐步结转分步法	（1）能提供各个生产步骤的半成品成本资料； （2）为各生产步骤的在产品实物管理提供资料； （3）能够全面地反映各生产步骤的生产耗费水平，更好地满足各生产步骤成本管理的要求。

（续上表）

	缺点： （1）成本结转工作量较大； （2）各生产步骤的半成品成本采用逐步综合结转方法，还要进行成本还原，增加了核算的工作量。
平行结转分步法	优点： （1）各步骤可以同时计算产品成本，平行汇总记入产成品成本，不必逐步结转半成品成本； （2）不必进行成本还原，简化加速成本计算工作。
	缺点： （1）不能提供各步骤半成品的成本资料；

（续上表）

	（2）在产品的费用在产品最后完成以前，不随实物转出而转出，即不按其所在的地点登记，而按其发生的地点登记，因而不能为各个生产步骤在产品的实物管理和资金管理提供资料。 （3）各生产步骤的产品成本不包括所耗半成品费用，因而不能全面反映各该步骤产品的生产耗费水平（第一步除外），不能更好地满足这些步骤成本管理的要求。

第八章 政府会计基础

考点一 政府会计改革的任务

前提和基础	建立健全政府会计核算体系
关键	建立健全政府财务报告体系
保障	建立健全政府财务报告审计和公开机制
目的	建立健全政府财务报告分析应用体系

考点二　政府会计基本准则

一、政府会计主体

以下主体不适用《基本准则》：军队、纳入企业财务管理体系的事业单位、民间非营利组织。

二、政府会计核算体系

"双功能""双基础""双报告"。

三、政府会计核算应当遵循以下基本要求：

---

1. 政府会计主体应当对其自身发生的经济业务或者事项进行会计核算。
2. 政府会计核算应当以政府会计主体持续运行为前提。

（续上表）

3．政府会计核算应当划分会计期间，分期结算账目，按规定编制决算报告和财务报告。会计期间至少分为年度和月度。会计年度、月度等会计期间的起讫日期采用公历日期。

4．政府会计核算应当以人民币作为记账本位币。发生外币业务时，应当将有关外币金额折算为人民币金额计量，同时登记外币金额。

5．政府会计核算应当采用借贷记账法记账。

四、政府会计信息质量要求

《基本准则》规定，政府会计信息质量要求包括可靠性、全面性、相关性、及时性、可比性、可理解性和实质重于形式。

五、政府财务会计要素

政府财务会计要素包括资产、负债、净资产、收入和费用。

六、政府预算会计要素（预算收入、预算支出与预算结余）

预算结余＝政府会计主体预算年度内预算收入−预算支出＋结转资金

七、政府财务报告

（一）政府财务报表包括会计报表和附注。

（二）政府财务报告主要包括政府部门财务报告和政府综合财务报告。

（三）政府财务报告编报

政府部门财务报告编报	政府综合财务报告编报
1. 清查核实资产负债。 2. 编制政府部门财务报告。 3. 开展政府部门财务报告审计。 4. 报送并公开政府部门财务报告。 5. 加强部门财务分析。	1. 清查核查财政直接管理的资产负债。 2. 编制政府综合财务报告。 3. 开展政府综合财务报告审计。 4. 报送并公开政府综合财务报告。 5. 应用政府综合财务报告信息。

（四）政府决算报告

政府决算报告是综合反映政府会计主体年度预算收支执行结果的文件。政府决算报告应当包括决算报表和其他应当在决算报告中反映的相关信息和资料。符合预算收入、预算支出和预算结余定义及其确认条件的项目应当列入政府决算报表。

考点三 事业单位会计特点

一、会计核算一般采用收付实现制，但部分经济业务或者事项的核算采用权责发生制（企业会计核算采用权责发生制）。

二、事业单位会计要素分为资产、负债、净资产、收入和支出五大类（企业会计要素分为六类）。

三、事业单位的各项财产物资应当按照取得或购建时的实际成本进行计量。

考点四　库存现金的清查

事项	账务处理
现金溢余	借：库存现金 　　贷：其他应付款（应支付给有关单位或他人） 　　　　其他收入（无法查明原因）
现金短缺	借：其他应收款（应由责任人赔偿） 　　其他支出（无法查明原因） 　　贷：库存现金

考点五　银行存款

事业单位的银行存款是指事业单位存入银行或其他金融机构的各种存款。"银行存款日记账"应定期与"银行对账单"核对，至少每月核对一次。

考点六　零余额账户用款额度

国库集中支付制度及程序	零余额账户用款额度的核算
国库集中收付，是指以国库单一账户体系为基础，将所有财政性资金都纳入国库单一账户体系管理，收入直接缴入国库和财政专户，支出通过国库单一账户体系支付到商品和劳务供应者或用款单位的一项国库管理制度。	期末借方余额反映事业单位尚未支用的零余额用款额度。该科目年末应无余额。

考点七　短期投资

事业单位依法取得的，持有时间不超过一年（含一年）的投资，主要是国债投资。

短期投资类型	账务处理
取得时	借：短期投资（购买价款、税金、手续费等） 　　贷：银行存款
持有期间收到利息	借：银行存款 　　贷：其他收入
出售或到期收回短期国债本息	借：银行存款 　　贷：短期投资 　　　　其他收入（差额、可能在借方）

考点八 应收及预付款项

一、财政应返还额度

财政应返还额度是指实行国库集中支付的事业单位，年度终了应收财政下年度返还的资金额度，即反映结转下年使用的用款额度。

事项	账务处理
收到"财政直接支付入账通知书"时	借：事业支出 　　贷：财政应返还额度——财政直接支付

（续上表）

事项	账务处理
年度终了，根据本年度财政直接支付预算指标数与当年财政直接支付实际支出数的差额	借：财政应返还额度——财政直接支付 　　贷：财政补助收入
下年度恢复财政直接支付额度后，事业单位以财政直接支付方式发生实际支出时	借：事业支出 　　贷：财政应返还额度——财政直接支付

二、应收票据

事项	账务处理
事业单位取得应收票据	借：应收票据 　　贷：经营收入/应缴税费等
应收票据收回、贴现、背书转让或转为应收账款	借：银行存款/应收账款等 　　贷：应收票据

　　逾期三年或以上、有确凿证据表明确实无法收回的应收账款（预付账款和其他应收款），按规定报经批准后予以核销。核销的应收账款应在备查簿中保留登记。

事项	账务处理
转入待处置资产时，按照待核销的应收账款金额	借：待处置资产损溢 　　贷：应收账款
报经批准予以核销时	借：其他支出 　　贷：待处置资产损溢
已核销应收账款在以后期间收回的，按照实际收回的金额	借：银行存款等 　　贷：其他收入

三、预付账款

相关科目设置比照"应收账款"科目。

四、其他应收款

事业单位的其他应收款是指事业单位除财政应返还额度、应收票据、应收账款、预付账款以外的其他各项应收及暂付款项，如职工预借的差旅费、拨付给内部有关部门的备用金、应向职工收取的各种垫付款项等。

考点九　存货

事项	账务处理
在发出时，采用先进先出法、加权平均法或者个别计价法确定发出存货的实际成本	借：事业支出（专业业务） 　　经营支出（经营业务） 　　待处置资产损溢（捐赠、无偿调出、盘亏或者毁损、报废） 　贷：存货
事业单位的存货应当定期进行清查盘点，每年至少盘点一次	1. 盘盈的存货 借：存货 　贷：其他收入 2. 盘亏或者毁损、报废的存货，转入待处置资产时

（续上表）

事项	账务处理
	借：待处置资产损溢 贷：存货 3. 报经批准予以处置时 借：其他支出 贷：待处置资产损溢

考点十　长期投资

一、长期投资的取得

（一）以货币资金取得的长期投资，按照实际支付的全部价款（包括购买价款以及税金、手续费等相关税费）作为投资成本，长期投资增加时，应当相应增加非流动资产基金：

借：长期投资

　　贷：银行存款等

同时：借：事业基金

　　　　贷：非流动资产基金——长期投资

（二）以非现金资产取得的长期投资，按照非现金资产的评估价值加上相关税费作为投资成本。长期投资增加时，应当相应增加非流动资产基金。

二、长期投资持有期间的收益

事业单位长期投资在持有期间应采用成本法核算思维。事业单位收到利润或者利息时，按照实际收到的金额：

借：银行存款等

贷：其他收入——投资收益

三、长期投资的处置

事项	账务处理
事业单位对外转让或到期收回长期债券投资	按照实际收到的金额： 借：银行存款 　　其他收入——投资收益（差额） 　　贷：长期投资

（续上表）

事项	账务处理
	其他收入——投资收益（差额） 同时，按照收回长期投资对应的非流动资产基金， 　借：非流动资产基金——长期投资 　　　贷：事业基金
事业单位转让或核销长期股权投资	借：待处置资产损溢 　　　贷：长期投资 实际转让或报经批准予以核销时，应相应减少非流动资产基金， 　借：非流动资产基金——长期投资 　　　贷：待处置资产损溢

考点十一　固定资产

　　事业单位的固定资产是指事业单位持有的使用期限超过一年（不含一年）、单位价值在1000元以上（其中，专用设备单位价值在1500元以上），并在使用过程中基本保持原物质形态的资产。六大类：房屋及构筑物；专用设备；通用设备；文物和陈列品；图书、档案；家具、用具、装具及动植物。

　　事业单位固定资产的核算一般采用双分录的形式。

事项	账务处理
固定资产的取得	借：固定资产 　　贷：非流动资产基金——固定资产 同时： 借：事业支出/专用基金——修购基金等 　　贷：银行存款等

（续上表）

事项	账务处理
计提固定资产折旧（按月计提）	借：非流动资产基金——固定资产 　　贷：累计折旧
固定资产的处置	1. 固定资产转入待处置资产时： 借：待处置资产损溢 　　累计折旧 　　贷：固定资产 2. 固定资产报经批准予以核销时： 借：非流动资产基金——固定资产 　　贷：待处置资产损溢

考点十二　在建工程

事业单位的在建工程是指事业单位已经发生必要支出，但尚未完工交付使用的各种建筑（包括新建、改建、扩建、修缮等）和设备安装工程。

建筑工程的事项	账务处理
将固定资产转入改建、扩建或修缮	借：在建工程 　　贷：非流动资产基金——在建工程 同时，按照固定资产对应的非流动资产基金 借：非流动资产基金——固定资产 　　累计折旧 　　贷：固定资产

（续上表）

建筑工程的事项	账务处理
支付工程价款及专门借款利息	借：在建工程 　　贷：非流动资产基金——在建工程 同时：借：事业支出/其他支出等 　　　　贷：银行存款
工程完工交付使用	借：固定资产 　　贷：非流动资产基金——固定资产 同时：借：非流动资产基金——在建工程 　　　　贷：在建工程

设备安装工程事项	账务处理
购入需要安装的设备	借：在建工程 　　贷：非流动资产基金——在建工程 同时，按照实际支付金额 借：事业支出/经营支出等 　　贷：银行存款
发生安装费用	借：在建工程 　　贷：非流动资产基金——在建工程 同时：借：事业支出等 　　　　贷：银行存款

（续上表）

设备安装工程事项	账务处理
设备安装完工交付使用时	借：固定资产 　　贷：非流动资产基金——固定资产 同时：借：非流动资产基金——在建工程 　　　　贷：在建工程

考点十三　无形资产

事业单位购入的不构成相关硬件、不可缺少组成部分的应用软件，应当作为无形资产核算。

事项	账务处理
无形资产的取得	借：无形资产 　　贷：非流动资产基金——无形资产 同时，按照实际支付金额 借：事业支出等 　　贷：银行存款
计提无形资产摊销	按月计提 借：非流动资产基金——无形资产 　　贷：累计摊销

（续上表）

事项	账务处理
无形资产的处置	无形资产转入待处置资产： 借：待处置资产损溢 　　累计摊销 　　贷：无形资产
	无形资产实际转让： 借：非流动资产基金——无形资产 　　贷：待处置资产损溢
	收到转让收入： 借：银行存款 　　贷：待处置资产损溢

处置净收入根据国家有关规定处理。

考点十四　短期借款

事业单位的短期借款是指事业单位借入的期限在一年内（含一年）的各种借款。

事项	账务处理
借入各种短期借款	借：银行存款 　　贷：短期借款
支付短期借款利息	借：其他支出 　　贷：银行存款
归还短期借款	借：短期借款 　　贷：银行存款

考点十五　应缴款项

一、应缴税费

事业单位的应缴税费包括增值税、城市维护建设税、教育费附加、车船税、房产税、城镇土地使用税、企业所得税等。

二、应缴国库款

事业单位的应缴国库款是指事业单位按规定应缴入国库的款项（应缴税费除外）。

事项	账务处理
事业单位按规定计算确定或 实际取得应缴国库的款项	借：有关科目 　　贷：应缴国库款

（续上表）

事项	账务处理
上缴款项	借：应缴国库款 　　贷：银行存款等
应缴财政专户款	事业单位的应缴财政专户款是指事业单位按规定应缴入财政专户的款项

考点十六 应付职工薪酬

事业单位的应付职工薪酬包括基本工资、绩效工资、国家统一规定的津贴、补贴、社会保险费、住房公积金等。

事项	账务处理
事业单位计算当期应付职工薪酬	借：事业支出/经营支出等 　　贷：应付职工薪酬
按税法规定代扣代缴个人所得税	借：应付职工薪酬 　　贷：应缴税费
向职工支付工资、津贴补贴等薪酬及按照国家有关规定缴纳职工社会保险费和住房公积金时	借：应付职工薪酬 　　贷：银行存款

考点十七　应付及预收款项

事业单位的应付及预收款项是指事业单位在开展业务活动中发生的各项债务，包括应付票据、应付账款、其他应付款等应付款项和预收账款。

一、应付票据（银行承兑汇票和商业承兑汇票）

二、应付账款

无法偿付或债权人豁免偿还的应付账款（预收账款、其他应付款、长期应付款）。

借：应付账款/预收账款/其他应付款/长期应付款
　　贷：其他收入

三、预收账款

四、其他应付款

事业单位的其他应付款是指事业单位除应缴税费、应缴国库款、应缴财政专户款、应付职工薪酬、应付票据、应付账款、预收账款之外的其他各项偿还期限在一年内（含一年）的应付及暂收款项，如存入保证金等。

考点十八 长期借款

事项	账务处理
事业单位借入各种长期借款	借：银行存款 　　贷：长期借款
支付长期借款利息	借：其他支出 　　贷：银行存款

考点十九 长期应付款

事业单位的长期应付款是指事业单位发生的偿还期限超过一年（不含一年）的应付款项，如以融资租赁租入固定资产的租赁费、跨年度分期付款购入固定资产的价款等。

考点二十 净资产

一、事业结余

事项	账务处理
结转本月非财政、非专项资金收入	借：事业收入 　　上级补助收入 　　贷：事业结余
结转本月非财政、非专项资金支出	借：事业结余 　　贷：事业支出——其他资金支出 　　　　其他支出 　　　　对附属单位补助支出

二、经营结余

经营结余是指事业单位一定期间各项经营收支相抵后余额弥补以前年度经营亏损后的余额。

事项	账务处理
根据经营收入本期发生额	借：经营收入 　　贷：经营结余
根据经营支出本期发生额	借：经营结余 　　贷：经营支出
年末，如"经营结余"科目为贷方余额，将余额结转至"非财政补助结余分配"科目	借：经营结余 　　贷：非财政补助结余分配 如为借方余额，即为经营亏损，不予结转。

三、非财政补助结余分配

事项	账务处理
结转事业结余	借：事业结余 　　贷：非财政补助结余分配
结转经营结余	借：经营结余 　　贷：非财政补助结余分配
计算应缴企业所得税	借：非财政补助结余分配 　　贷：应缴税费——应缴企业所得税
结转至事业基金	借：非财政补助结余分配 　　贷：事业基金

四、事业基金

事业单位的事业基金是指事业单位拥有的非限定用途的净资产，主要为非财政补助结余扣除结余分配后滚存的金额。年末：

借或贷：非财政补助结余分配

　　　　贷或借：事业基金

将留归本单位使用的非财政补助专项（项目已完成）剩余资金结转至事业基金。

借：非财政补助结转

　　贷：事业基金

五、非流动资产基金

事业单位的非流动资产基金是指事业单位长期投资、固定资产、在建工程、无形资产等非流动资产占用的金额。

六、专用基金

事业单位的专用基金是指事业单位按规定提取或者设置的具有专门用途的净资产，主要包括：修购基金、职工福利基金等。

事项	账务处理
事业单位按规定提取专用基金	借：有关支出科目或"非财政补助结余分配"科目 　　贷：专用基金
按规定使用专用基金	借：专用基金 　　贷：银行存款等
使用专用基金形成 固定资产	借：固定资产 　　贷：非流动资产基金——固定资产

考点二十一　收入和支出

一、收入

事业单位的收入包括财政补助收入、事业收入、上级补助收入、附属单位上缴收入、经营收入和其他收入等。

二、支出

事业单位支出包括事业支出、对附属单位补助支出、上缴上级支出、经营支出和其他支出等。（考点）

三、事业单位的财务报表

事业单位的会计报表至少应当包括资产负债表、收入支出表、财政补助收入支出表和附注。